LE BOUDDHISME ✸

LE BOUDDHISME ✸

PHAN·CHON·TÔN

guérin Montréal
Toronto

4501, rue Drolet, Montréal, Qué. H2T 2G2
(514) 842-3481

Dépôt légal, 3e trimestre 1986
ISBN-2-7601-1399-X
Bibliothèque nationale du Québec
Bibliothèque nationale du Canada
IMPRIMÉ AU CANADA

Maquette de couverture : Jean-François Major
Cartes géographiques : Alain Longpré

TABLE DES MATIÈRES

Introduction

L'universalité et la rapidité des moyens de communications ont sensiblement diminué les distances entre les pays et entre les peuples. De plus la mobilité des populations nous amène un jour ou l'autre à rencontrer des personnes d'autres races et d'autres cultures. Il n'est plus possible de vivre isolé, replié sur soi-même, en ignorant les événements heureux ou malheureux qui affectent quotidiennement le sort de l'humanité.

La religion a toujours joué et joue encore un rôle important dans la culture et la vie des peuples. Maintenant que les moyens de communication nous mettent en contact continu avec tous les peuples, il importe désormais pour comprendre et respecter ces populations de connaître les religions qui les motivent et conditionnent leurs comportements.

Cette série de publications sur *Les grandes religions* veut contribuer à la compréhension et au respect mutuels, voire même à l'amitié entre tous les croyants du monde. C'est la raison pour laquelle nous avons fait appel pour la rédaction à des fidèles de chacune des religions présentées.

En notre univers il y a encore beaucoup d'ignorance et d'incompréhension, beaucoup de préjugés et d'antagonismes parfois même violents. Nous espérons par nos textes contribuer à une meilleure entente entre les humains à partir de la foi qui les anime et qui devrait normalement les conduire à la fraternité universelle.

Stéphane Valiquette, S.J.
coordonnateur de la série

EXPLICATIONS sur la TYPOGRAPHIE

1. Les **paragraphes** en caractères *italiques* rapportent la légende ; ce ne sont pas les propos de l'auteur.

2. Les termes spéciaux, surtout en sanscrit, sont également mis en *italiques*.

3. Les chiffres entre parenthèses — par exemple (3) — renvoient aux numéros correspondants dans le lexique (chapitre VIII).

4. Les chiffres entre crochets carrés — par exemple [8] — renvoient à la bibliographie (chapitre VI).

5. Le lexique n'explique que des termes spéciaux employés dans le texte. Le lexique ne remplace pas le dictionnaire.

AVANT-PROPOS

On a classé les religions du monde en trois catégories: les religions de l'environnement, tel l'animisme, les religions révélées, telles que l'hindouisme, le judaïsme, le christianisme et l'islam, et enfin les religions de l'illumination, tel le bouddhisme.

L'animisme naît de la tendance instinctive à personnifier les forces et phénomènes naturels. Les religions révélées s'inspirent d'un ou de plusieurs Livres ou Écritures: les Védas pour l'hindouisme, la Bible pour le judaïsme, l'Ancien et le Nouveau Testament pour les religions chrétiennes, le Coran pour l'islam. Enfin, les religions de l'illumination, dont l'exemple typique est le bouddhisme, s'appuient sur le témoignage vécu d'un homme qui, croit-on, s'est *éclairé* (a atteint l'illumination) sur l'origine et le fonctionnement de tout ce qui existe.

En effet, le mot *Bouddha* vient de la racine sanscrite (1) *budh*, qui signifie *s'éveiller, voir clair*. Bouddha veut donc dire «celui qui voit». Psychologiquement, lorsqu'on ne comprend pas quelque chose, on dit qu'on «est dans le noir». Quand, après avoir cherché, réfléchi, on commence à comprendre, on dit qu'on a une «lueur»: c'est cela *budh*. Ce processus d'acquisition d'une lueur est une *illumination*. Le mot Bouddha ne désigne donc rien d'autre qu'un être qui a vu jaillir la lumière dans son esprit. Selon l'enseignement du Bouddha, ce processus est tout naturel et accessible à chaque être humain: «Ce que j'ai pu faire, tout autre humain peut le faire.» Cette déclaration place la responsabilité de la destinée de chacun dans ses propres mains. C'est pourquoi, selon le bouddhisme, chaque être humain est un boudhisattva, celui qui a la nature de Bouddha, un Bouddha en devenir.

Le message laissé par le Bouddha est donc un message de foi, non en un Dieu ou en des dieux, mais en l'humain.

I

DU PRINCE SIDDHARTA AU BOUDDHA GAUTAMA

Le «bouddhisme» est donc ce que le Bouddha a compris. Pour bien en comprendre le fondement, suivons son cheminement.

1. Naissance et adolescence

L'histoire personnelle de Bouddha est donc celle de tout homme (naissance, adolescence, mariage, mort). Mais, de par sa préoccupation intérieure et un effort patient, quelque chose est arrivé, qui lui a apporté à la fois la compréhension et la cessation de cette succession d'événements que nous appelons la vie.

L'enfant qui devra devenir un Bouddha est né dans une famille royale. Son père, le roi Suddhodana, régnait sur un peuple du Nord de l'Inde, le peuple Gautama, dont la capitale fut Kapilavastu. Sa mère, la reine Maya, mourut peu de temps après l'avoir mis au monde.

La légende raconte que, lorsqu'elle l'attendait, la reine eut un rêve dans lequel elle vit un éléphant à sept défenses entrer dans son corps (l'éléphant est le symbole de la sagesse, les sept défenses indiquent sa divinité) et, plus tard, que l'enfant, à sa naissance, sortirait du corps de sa mère par son aisselle (ceci symbolisant une naissance transcendante).

La légende raconte aussi que, peu après sa naissance, un sage vint à passer par Kapilavastu et que, consulté par le roi, il prédit que l'enfant deviendrait soit un grand roi, soit un grand instructeur spirituel.

Suddhodana, étant un roi, fit tout pour que son fils perde de vue sa destinée spirituelle, pour ne penser qu'à régner comme monarque. Pour cela, il fit construire un palais, isolé au milieu de la forêt, entouré d'une double enceinte impénétrable. Voici la description qu'en a donnée Edwin Arnold, dans *La Lumière de l'Asie* [1]:

> Or donc, cerclant cette plaisante prison —
> Où l'amour fut geôlier et les délices barreaux,
> Hors de vue, cependant — le Roi fit ériger
> Un mur massif, percé d'une seule passe
> Fermée de porte d'airain, qui, roulant
> Pour se fermer, épuise jusqu'à cent bras.
> Le bruit que fait cette huis
> Puissante, pour s'ouvrir,
> Résonne jusque au loin, à une mi-joyana.
> Dedans cette porte une autre, fit-il édifier
> Et puis une autre encore — par ces trois
> L'on doit passer, pour quitter ce lieu de plaisir.
> Trois formidables portails, loqués et bien barrés,
> Coiffés de trois bonnes gardes;
> Et du roi l'ordre dit: «Ne souffrez qu'aucun homme
> Ne passe, fût-il même le prince
> Ceci sur votre tête — oui, même si c'est mon fils.»

Dans ce palais, tous les serviteurs étaient spécialement sélectionnés: tous étaient jeunes, bien formés et en bonne santé. Et les journées se succédaient en réjouissances et festivités. Le roi lui donnait aussi les meilleurs maîtres et les meilleurs compagnons dans les arts guerriers. Le prince excellait dans toutes ces choses, mais n'y prenait qu'un intérêt lointain et on le trouvait souvent pensif, assis seul au pied d'un arbre.

Un jour, le monarque d'un royaume voisin lança une invitation à tous les princes à la ronde, pour un tournoi dont le prix serait sa fille Yasodhara.

La légende raconte que Siddharta fit sans effort des prouesses telles que finalement ce fut à lui que revint le prix promis, la princesse Yasodhara. La légende précise aussi qu'entre eux, il y eut un lien contracté depuis plusieurs vies passées et qu'il était naturel que Yasodhara revint à Siddharta.

Ils vécurent très heureux et eurent un fils, Rahula.

2. Les quatre découvertes

La vie se passait agréable et insouciante. Mais Siddharta ne se sentait pas en paix. Ses moments de «rêveries» devenaient plus fréquents. Et un jour, il fit demander à son père l'autorisation de voir son pays et son peuple.

Le roi, bien entendu, en fut alarmé, consulta ses ministres, et tous finirent par convenir qu'il était en effet temps pour le prince de voir son royaume. Mais l'ordre fut strict: que personne, homme (ou femme) difforme, malade ou âgé, ne devrait être présent sur le chemin du prince, que la ville soit bien nettoyée, les maisons rafraîchies, les rues balayées, que tout, enfin, soit plaisant au regard du prince.

Siddharta sortit donc de son palais au jour fixé, assis sur son char, conduit par Channa, son cocher. Il fut réjoui de voir tout ce beau peuple qui vaquait à ses amusements, et qui paraissait heureux. Mais — ainsi le destin parla — lorsqu'il fut sur le point de rentrer, il entendit un gémissement plaintif. Il arrêta son char et découvrit que ce bruit qui ne lui était pas connu auparavant provenait d'un homme plié en deux par la douleur, couché en contre-bas du chemin. «Channa, qu'est cette créature qui m'est inconnue? Elle a la forme d'un homme mais ne ressemble ni à toi ni à moi ni à personne d'autre que j'aurai pu voir.» «Prince, répondit le cocher, c'est un homme comme vous et moi, mais il est malade et souffre beaucoup.» «Channa, est-ce que toi, ma servante préférée, mon fils Rahula, ma princesse Yasodhara, et moi-même sommes susceptibles d'être dans cet état?» «Oui mon prince, chaque être humain est sujet à la maladie.» «Rentrons au palais, Channa, dit le prince d'une voix lourde, j'en ai vu assez pour aujourd'hui.»

On peut deviner l'émoi intérieur de Siddharta, qui n'avait jamais vu jusque-là que des êtres bien portants, qui pensait que tous les humains étaient normalement beaux et forts. La réponse de Channa l'a profondément frappé. Et il devint encore plus souvent pensif.

Quelque temps plus tard, il demanda à nouveau l'autorisation de sortir. Mêmes consignes du roi, et encore plus rigoureuses: on éloignerait tous les malades de la ville.

15

À la fin de la promenade, le prince aperçut un être à forme humaine, mais dont les cheveux clairsemés étaient tout blancs, et la tête penchait vers le sol tant son échine était courbée, et qui marchait péniblement en s'appuyant sur une branche. «Qu'est cette créature, Channa?» demanda le prince. «C'est un vieil homme, prince.» «Est-ce que toi, ma servante préférée, mon fils Rahula, ma princesse Yasodhara et moi-même serons un jour semblables à cet homme?» «Oui prince!» Un soupir s'échappa de la bouche de Siddharta: «Rentrons, Channa, j'en ai assez vu pour aujourd'hui.»

Le trouble de Siddharta grandissait... Il demanda bientôt une autre permission de sortie. Cette fois, les ordres du roi furent stricts. Mais, comme pour les deux fois précédentes, la promenade se termina par une nouvelle découverte: deux hommes portaient sur leurs épaules une litière sur laquelle était attachée une forme humaine inerte. «Qu'est-ce, Channa?» «C'est un homme mort, prince.» Cette fois, le prince était effondré. «Rentrons, Channa, j'en ai vu assez pour aujourd'hui.»

Une quatrième sortie lui fit rencontrer un homme rasé, nu, dont le corps était recouvert de cendres, en profonde méditation. À la question de Siddharta, Channa répondit: «C'est un saint homme; il cherche la voie de la délivrance.» «Y a-t-il une possibilité d'échapper à la maladie, à la vieillesse et à la mort?» «C'est ce que disent les saints hommes, prince.» Alors, le regard fixé sur le lointain, le prince dit: «Rentrons, Channa.»

Depuis lors, Siddharta s'absorba dans ses pensées. Aucun compagnon, aucune servante, ni même sa chère Yasodhara ne pouvait le distraire. «Es-tu malade?» lui demandait Yasodhara. «Non, ma princesse plus chère que moi-même, je suis bien portant, c'est le monde qui est malade.»

3. L'errance

Finalement la résolution du prince Siddharta fut prise...

Une nuit, lorsque tout le monde était endormi, Siddharta se leva sans bruit, jeta un long regard sur sa princesse assoupie, caressa des yeux son fils Rahula et se glissa vers les écuries. «Channa, selle mon cheval Kantala.» «Prince, je ne puis vous laisser partir, le roi sera en colère.» «Sois en paix, Channa, le monde un jour te saura gré de cette action.» Il monta sur Kantala, qui poussa un joyeux hennissement.

Mais, selon la légende, les dieux ont étouffé ce bruit de sorte que personne ne l'entendit. La légende dit aussi que Kantala était un dieu, qui aurait pris la forme d'un cheval pour aider le futur Bouddha.

Channa guida le cheval à travers les portails. *La légende dit aussi que ceux-ci s'ouvrirent en douceur, sans grincer. Et tous trois sortirent sans encombre.* Lorsqu'ils atteignirent les limites de la ville, Siddharta enleva ses vêtements de soie et les remit à Channa, il prit son épée et coupa ses longs et beaux cheveux: il venait de renoncer au monde. «Va porter tout ceci à mon père, demande-lui pardon pour moi et dis-lui que je reviendrai lorsque j'aurai trouvé ce que je cherche.» Et il s'en fut dans la forêt.

Imaginez un prince, habitué à l'opulence, livré tout d'un coup au dénuement le plus complet au milieu de la jungle puissante de l'Inde. Siddharta passait par des privations, des souffrances, mais sa détermination le soutenait.

Comme il ne savait pas comment trouver ce qu'il cherchait — à savoir la libération — il s'adressait à tout maître, tout ascète qu'il rencontrait sur son chemin. Il erra ainsi pendant six ans, s'essayant à une discipline après l'autre, chaque fois s'y donnant corps et âme, et à chaque fois, déçu. Finalement, il trouva un groupe d'ascètes très sincères et ardents, qui s'adonnaient aux «austérités» (c'est-à-dire qui pensaient arriver à la libération en torturant leur corps). Siddharta se joignit à eux, pratiqua cette discipline et y excella, tant et si bien que son corps fut grandement épuisé. Il fit certes des progrès dans la maîtrise du corps, des émotions et des pensées, mais là n'était pas son but ultime. Un jour qu'il méditait au pied d'un arbre, son corps trop épuisé, sous le soleil ardent, s'était évanoui. Heureusement un homme de basse caste (2) passait par là, un Sudra. Il voulait porter secours à l'ascète royal évanoui, mais un Sudra n'avait pas le droit de toucher un homme de haute caste (2), car il le souillerait — et serait puni! Alors, dans sa bonté, il trouva un moyen: il prit sa gourde de peau de chèvre et la pressa au-dessus de la bouche de l'ascète, de sorte que des gouttes de lait lui humectèrent les lèvres sans que l'homme ne le touchât. Revenu à lui, Siddharta, voyant le lait, en demanda à son bienfaiteur. Mais le Sudra lui répondit qu'il ne pouvait le lui donner de peur de le souiller. Siddharta alors lui adressa ces paroles sublimes: «La compassion et le besoin établissent un lien de parenté entre tous les êtres. Il n'y a pas de caste dans le sang, qui coule de la même couleur dans toutes les veines, ni de caste dans les pleurs qui sont salés chez tous les hommes, et l'homme ne naît pas avec la marque tilka (2) sur le front et le cordon sacré (2) autour du cou. Celui qui est juste dans ses actes est régénéré et celui qui commet de mauvaises actions est vil. Donne-moi à boire, mon frère; quand j'atteindrai le but de mes recherches, il t'adviendra du bien.»

Un autre jour, passa sur la route une bande de danseuses qui riaient, plaisantaient, et l'une d'elles chantait: «La danse joyeuse commence quand la cithare est accordée; accorde pour nous la cithare, ni trop haut ni trop bas, et nous ferons bondir les coeurs des hommes. La corde trop tendue se brise, et la musique s'envole; la corde trop lâche est muette et la musique se meurt; accorde pour nous la cithare, ni trop haut ni trop bas.»

Et l'ascète de penser: «Les fous donnent souvent des leçons aux sages; j'ai peut-être trop tendu la corde de la vie, en voulant faire entendre l'harmonie qui sauvera les hommes; mes yeux sont troublés maintenant qu'ils voient la vérité, ma force est épuisée maintenant que j'en aurais le plus besoin. Puissé-je recevoir le secours qui m'est nécessaire, car sinon je mourrais, moi dont la vie était l'espoir de tous les hommes.»

4. L'illumination

Alors il se baigna dans la rivière et accepta le repas que lui offrit une bonne paysanne... Il a ainsi rompu apparemment ses voeux d'austérité, il a trahi les traditions des ascètes. «L'ascète Gautama se complaît dans l'abondance», jugeaient sévèrement ses compagnons qui le quittèrent.

Mais, ayant repris ses forces, il s'assit au pied d'un arbre bodhi (3) et se mit à méditer. Sublime méditation, qui le conduisit à l'illumination, qui fit de lui un Bouddha: il comprit la cause de la souffrance, devint ainsi un être libéré.

II

LA DOCTRINE DU BOUDDHA

Au pied de l'arbre bô (3), le prince Siddharta, donc, médita. Il réfléchit sur les rencontres qu'il avait faites lors de ses sorties du palais. Lui qui avait été tenu dans l'ignorance complète des maux qui affectent l'humanité découvrait alors que la maladie, la vieillesse et la mort étaient le lot inévitable de l'existence. Dans sa méditation, il comprit que la cause de cette souffrance était l'attachement, mais surtout, qu'il était possible, à tout être humain, de faire cesser cette souffrance.

Après la méditation dans laquelle il avait atteint l'illumination, le Bouddha hésita: «À qui allait-il expliquer ce qu'il avait compris?» La plupart des gens ne le comprendraient pas. Alors il pensait à ses cinq compagnons, qui étaient des ascètes sincères et ardents, qui, donc, seraient les plus aptes à le comprendre. Il s'en fut donc les retrouver et, devant le rayonnement qui émanait de sa personne, les cinq ascètes — qui pourtant avait bien l'intention de l'ignorer — s'inclinèrent devant lui et l'écoutèrent. Le discours qu'il leur fit est appelé «la mise en mouvement de la roue du chariot de la Loi» (*Dhamma-cakkappavattana*). Ce discours établit les bases de la doctrine du Bouddha qui se résume comme suit.

A. L'ÉNONCÉ DE LA DOCTRINE

A.i: «Les quatre nobles vérités [5]»

Il a donc énoncé sa doctrine en quatre points, dénommés «Les quatre nobles vérités», qui sont:

1. La vérité de la souffrance.
2. La vérité de la cause de la souffrance.
3. La vérité de la cessation de la souffrance.
4. La vérité de la voie menant à la cessation de la souffrance.

Ce qui suit essaie d'expliciter ces quatre vérités.

1. La vérité de la souffrance

Cette vérité découle des rencontres relatées plus haut. L'énoncé de cette vérité fait souvent qualifier la doctrine bouddhique de pessimiste. Ce n'est, en réalité, pas le cas. Lorsqu'un médecin constate qu'un patient présente les symptômes de la grippe, ce n'est pas une attitude pessimiste, c'est une reconnaissance objective d'un état de choses. C'est exactement ce qu'a fait le prince Siddharta. Puis, après avoir constaté l'existence de la souffrance, il s'est dit: «Il doit y avoir un remède», et il est parti à sa recherche. Et, après beaucoup de tribulations, il l'a trouvé. L'hypothèse de départ est par conséquent très positive. Il en résulte que son enseignement est très scientifique et pragmatique, comme nous le verrons.

2. La vérité de la cause de la souffrance

Sous l'arbre bodhi, il a refait le raisonnement qu'il avait maintes et maintes fois fait auparavant. Et il est arrivé à la conclusion que la cause de la souffrance est l'ignorance. Un exemple simple pourra illustrer ceci: si quelqu'un touche à une prise de courant sans savoir qu'il y a là les terminaux de deux pôles d'électricité, il recevra un choc, qui pourrait même le tuer, qui, du moins, lui occasionnera une douleur. L'établissement d'un courant électrique entre deux pôles, passant par un milieu conducteur (le corps) est une loi naturelle; l'ignorance de cette loi est susceptible d'amener la souffrance. Généralement, lorsqu'on parle de souffrance, on y mêle la notion de mauvaise intention ou de culpabilité. Pourtant c'est une vérité tout à fait objective.

Et le Bouddha a établi toute une théorie (théorie signifie suite, succession) reliant des effets à des causes, effets devenant eux-mêmes causes d'autres effets. C'est ce qu'on appelle les douze origines interdépendantes, ou les douze nidânas. Leur enchaînement est appelé «origine conditionnée» (paticcasamuppâda) et s'énonce ainsi:

Les douze nidânas

De l'ignorance proviennent les formations; des formations provient la connaissance; de la connaissance proviennent les éléments du moi; des éléments du moi proviennent les six sens — les cinq sens plus la conscience —; des six sens provient l'impression; de l'impression provient la sensation; de la sensation provient le désir; du désir provient l'attachement; de l'attachement provient l'existence; de l'existence provient la (re-)naissance; de la naissance proviennent la vieillesse et la mort — et leurs séquelles: chagrin, lamentation, peine, douleur et désespoir.

Ces interdépendances font tourner le monde en rond; c'est une autre image qu'a donnée le Bouddha de l'état dans lequel se trouve l'humanité: le samsara, la roue, qui tourne et qui nous ramène à nouveau et à nouveau dans les mêmes conditions, tant que dure notre ignorance.

3. La vérité de la cessation de la souffrance

Mais si on sait pourquoi ce samsara tourne, alors on est, en principe, capable de le faire s'arrêter. L'énoncé de ce troisième point paraît à plus d'un commentateur superflu. Mais il est tout à fait logique, avant d'entreprendre une action, de s'assurer qu'elle est possible.

Cependant, une chose qui est, en principe, possible n'est pas forcément chose faite: il faut une méthode pour la poursuivre et il faut un effort persévérant pour la réaliser. C'est ici qu'intervient la quatrième vérité.

4. La vérité de la voie menant à la cessation de la souffrance

C'est ce qu'on nomme généralement la Voie Octuple, car elle comprend huit pas: vue juste, pensée juste, parole juste, action juste, moyens d'existence justes, effort juste, concentration juste, méditation juste. (Voir «La pratique de la doctrine.»)

A.ii: **Les trois caractéristiques de l'existence** (ti-lakkhana)

Si les Quatre Nobles Vérités sont un énoncé éthique et pratique, la philosophie bouddhique s'appuie sur trois idées de base: la souffrance (dukkha), l'impermanence (anicca) et l'inexistence du soi (anattâ).

Le prince Siddharta avait constaté la souffrance dans l'existence humaine. Inutile d'y revenir. Une partie, importante si l'on veut bien y réfléchir, de cette souffrance réside dans l'attachement aux choses et aux êtres de ce monde, car ces choses et ces êtres sont impermanents. Pour les choses, les exemples ne manquent pas: rien de ce que nous possédons ne manque de s'user, de se détériorer, de disparaître. Même les mers et les montagnes changent de forme, de niveau, de place. Les êtres, eux, sont généralement considérés comme mortels, mais on se raccroche à l'idée qu'il y a, par-delà la forme physique, quelque chose qui continue: l'âme pour le chrétien, le soi pour l'Hindou... C'est ici que le Bouddha se détache de toutes les religions et les philosophies; il enseigne que le soi n'existe pas. C'est la fameuse doctrine de l'anatta (non-soi). Ce que nous prenons pour nous-mêmes est, en réalité, un ensemble de cinq **agrégats** (voir plus bas) qui, étant des formations, sont forcément appelés à disparaître.

Si l'enseignement bouddhique s'appuie sur la notion de la réincarnation (voir A.iv) qui prévalait en Inde au temps du Bouddha, le mécanisme en est différent dans le bouddhisme et dans l'hindouisme. Dans la doctrine de la réincarnation classique, il y a un soi permanent qui «descend» à intervalles plus ou moins longs, dans les mondes inférieurs où il se revêt de coques (sharira), dont le plus visible est le corps physique. Dans le bouddhisme, si la deuxième partie est toujours vraie, la première, à savoir l'existence d'un soi permanent, ne l'est pas: le «soi» qui se réincarne n'est pas immuable, il est changeant et est sujet à dissolution. La doctrine bouddhique n'offre aucune base à l'égocentrisme ni à l'égoïsme physiques ou spirituels: un bouddhiste est un être absolument non attaché.

A.iii: **Les cinq agrégats**

Selon la doctrine anattâ, l'être humain, le moi, est fait de l'ensemble de cinq agrégats. Le mot même d'agrégat traduit bien l'idée que c'est une chose composite, faite d'éléments nombreux et divers, rassemblés et soudés par un ciment qui est le désir-attachement. Les cinq agrégats sont:

1. L'agrégat de la forme corporelle.
2. L'agrégat des sensations.
3. L'agrégat des perceptions.
4. L'agrégat des formations mentales.
5. L'agrégat de la conscience.

Les trois premiers sont souvent réunis sous le nom de rûpa (forme); les deux derniers, comme nama (étymologiquement: nom et par extension: âme). Le moi est considéré alors comme le complexe nama-rûpa.

L'enseignement bouddhique ne donne pas au corps le caractère unitaire et séparé que la plupart des gens et des systèmes lui attribuent. Il voit dans le corps le résultat d'une agglomération d'éléments divers, ce en quoi cet enseignement est très proche de la conception scientifique actuelle. Le corps humain est, en effet, selon la science, un organisme, un ensemble d'organes dont chacun est lui-même composé de cellules.

Il est certainement plus facile de visualiser les deux agrégats suivants: les sensations et les perceptions. Quant au quatrième, relevons que ce qu'on appelle communément «pensées» est ici dénommé «formations mentales». En effet, si on examine ses pensées de façon objective, elles sont généralement la résultante d'éléments épars, hérités des habitudes parentales ou sociales, ou acquises par l'éducation à l'école ou dans la vie, que l'on garde (mémoire), auxquels on fait appel pour faire le lien entre les choses (intelligence), et qu'on agence de façon spécifique pour servir de base à sa vision du monde (philosophie) ou pour se conduire dans la vie de tous les jours (morale). Toutes ces «constructions», tous ces «systèmes» sont autant d'agencements différents de la matière mentale, des «formations mentales».

Plus inhabituel est le cinquième agrégat, la conscience. Dans la plupart des religions ou philosophies, on considère la conscience comme étant la base de l'être. Pour l'enseignement bouddhique, elle est simplement le résultat de l'agglomération d'expériences vécues, qui ont acquis une apparente permanence par leur répétition et l'impression de plus en plus profonde qu'elles génèrent, dans cette vie ou dans la suite des vies (voir réincarnation).

A.iv: **Les éléments pré-bouddhiques de la doctrine**

Deux notions essentielles continuellement évoquées dans la doctrine bouddhique fleurissaient déjà au temps de Bouddha: la réincarnation et le karma (kamma en pali). Si le Bouddha a secoué la notion du soi (atma) et ignoré celle de Dieu (Brahman), il s'est abondamment appuyé sur celles de karma et de réincarnation.

1. **Karma**. Le mot karma signifie agir. La loi du karma est donc celle qui régit l'action: toute action entraîne une réaction. Si la réaction est négative ou défavorable, il y a souffrance; si la réaction est positive ou favorable, il y a plaisir. À cause de l'attachement (upâdâna), on réagit aux fruits qui sont les réactions de l'action: cette réaction vis-à-vis des réactions font de celles-ci les causes d'autres réactions, d'autres effets. Ainsi, à partir d'une cause, il y a une succession d'effets, tout ceci constituant un filet qui emprisonne l'être humain. Si on agit dans l'ignorance, ce filet s'agrandit toujours, alors que la connaissance de la loi de karma nous permet de nous en affranchir.

2. **Réincarnation**. La notion de réincarnation dérive de celle de karma. Comme on ne peut pas comprendre, même en invoquant la loi de karma, tous les événements qui affectent l'être humain dans une vie (malheurs apparemment non mérités...) et surtout l'inégalité des conditions humaines à la naissance, il a fallu invoquer une continuité de vie à travers de nombreuses existences: les iniquités apparentes sont alors considérées comme des effets de causes engendrées dans

des existences passées et dont l'être humain dans son état actuel n'a pas le souvenir.

Le bouddhisme a modifié cette notion de réincarnation à la lumière de la doctrine de l'anattâ (A.ii).

3. **Samsara**. À cause du karma, l'être est appelé à se réincarner à nouveau et à nouveau, chaque fois «payant» un peu des dettes passées, mais en engendrant d'autres, ce qui l'oblige à revenir à nouveau . Ce retour répété et quasi obligatoire est rendu par le terme de samsara, qui veut dire la roue, la roue des naissances et des morts.

4. **Nirvâna**. De même que le samsara, la notion de nirvâna est une notion pré-bouddhique. Nirvâna vient de *nir*: sans, et *vahan*: véhicule. C'est donc l'état — si on peut encore parler d'état — dans lequel aucune forme visible ou invisible n'existe comme support à la partie non formelle. Il est souvent considéré comme un état d'annihilation, ce qui n'est pas exact. Si on peut introduire la notion du temps (qui, en principe, fausse aussi notre compréhension), c'est l'état préexistentiel, **avant** que les choses se concrétisent et existent (sortent de leur «êtreté»). C'est aussi l'état auquel reviendront les choses lorsqu'elles auront cessé d'exister. Toutes les tentatives pour expliquer ce qu'est le Nirvâna sont d'avance vouées à l'échec, puisqu'il s'agit de quelque chose dont notre conscience n'a aucune notion.

B. LA PRATIQUE DE LA DOCTRINE

L'enseignement du Bouddha, nous l'avons vu, a une origine expérimentale, et, par conséquent, doit aussi se réaliser de façon expérimentale, pragmatique.

L'attitude pragmatique est illustrée par cette anecdote:

Si quelqu'un est percé d'une flèche, qu'est-ce qu'il y a de mieux à faire pour lui? Refuser qu'on lui extraie la flèche avant de savoir qui l'a tirée, si cet individu est marié ou non, s'il est grand ou petit, blond ou brun, ou bien, retirer la flèche et soigner la blessure. Tout l'enseignement de Bouddha porte sur le deuxième choix.

Procession à l'occasion de l'entrée dans les ordres.

D'autre part, interrogé sur Dieu, le Bouddha répondit: «Pourquoi voulez-vous mesurer ce qui est incommensurable?» Ainsi, il ne nie pas l'existence de Dieu, mais il ne trouve pas utile qu'on en parle, puisque, de toutes façons, cela dépasse notre entendement humain. Il est plus utile de faire ce qui nous est possible en tant qu'humains, car cela éclaircira notre compréhension et nous libérera de l'ignorance.

La pratique bouddhique peut se résumer dans ces quelques mots du catéchisme bouddhique [4]:

> *Éviter de faire le mal,*
> *Faire le bien,*
> *Purifier le coeur,*
> *Tel est l'enseignement des Bouddhas.*

Cette dernière phrase indique que cet enseignement date des temps immémoriaux et est transmis de Bouddha en Bouddha. Les trois premières constituent le cadre dans lequel s'insèrent les divers éléments de la doctrine.

a. Éviter de faire le mal: les cinq préceptes

Ne pas enlever la vie à aucune créature vivante.
Ne pas prendre ce qui ne nous appartient pas.
Ne pas dire ce qui n'est pas vrai.
Ne pas avoir de relations sexuelles illégales.
Ne pas absorber de substances qui dérèglent la raison.

Cela, afin d'éviter de créer des souffrances.

b. Faire le bien: la Voie Octuple [5]

La Voie Octuple est un véritable guide éthique. On réunit souvent les huit pas en trois groupes:

Vue juste	)	
Pensée juste	)	Rectification intérieure
Parole juste	)	ou **sagesse** (pannâ)
Action juste	)	
Moyens	)	Rectification de ses actions
d'existence	)	en relation avec autrui
justes	)	ou **moralité** (sîla)

Effort juste)
Concentration)
  juste) **Perfectionnement intérieur ou**
Méditation) **illumination** (samâdhi)
  juste)

Sans entrer dans un commentaire détaillé, il est à remarquer que cette voie commence par **vue juste**; on peut voir là la caractéristique de l'enseignement bouddhique: il s'agit de bien prendre conscience du monde dans lequel nous sommes et des éléments du moi (qui s'exprimeront en pensée, parole et action). Le deuxième point remarquable est le cinquième pas: **moyens d'existence justes**. Le Bouddha, nous l'avons vu, a un esprit essentiellement pratique: il ne sert à rien d'avoir de bons principes si on ne les applique pas. Le sixième pas aussi est particulier: le mot effort désigne le début de la volonté de «dépassement de soi», qui devrait être la caractéristique de tout être humain intelligent et responsable. Sans ce désir de perfectionnement, les deux étapes suivantes seront vaines. Le dernier pas, sama-samadhi, est souvent traduit par extase juste; étymologiquement le mot *samadhi* a un sens très proche du mot *comprendre*. Le mot samadhi désigne le processus consistant à comprendre une chose parce qu'on est **dans** la chose et se traduirait plus pleinement par union ou contemplation. En terminologie bouddhique, la Voie Octuple mène de la «doctrine de l'oeil» (enseignement extérieur) à la «doctrine du coeur» (mystique intérieure).

c. Purifier le coeur: les quatre attentions [16]

Les trois dernières étapes de la Voie Octuple mènent à la «purification du coeur». Celle-ci s'acquiert par une discipline rigoureuse et persévérante appelée «les quatre attentions», et qui est tout à fait particulière au bouddhisme. Quelles sont-elles?

1. Ici le disciple s'applique à réfléchir sur le corps, plein de zèle, maître de soi et attentif, chassant les désirs du monde.
2. Il s'applique à réfléchir sur les sensations...
3. Il s'applique à réfléchir sur le mental...
4. Il s'applique à réfléchir sur les idées...

1. **Attention concentrée sur le corps** (*kâyânupassanâ*)

Comment le disciple dirige-t-il son attention sur le corps?

Le disciple s'étant rendu dans la forêt, ou au pied d'un arbre, ou dans une place solitaire, s'assied les jambes croisées, le buste droit et place son attention en face de lui. Attentif, il expire le souffle, attentif, il aspire le souffle; émettant une longue respiration, il sait qu'il émet une profonde respiration ou tirant une longue aspiration, il sait qu'il tire une longue aspiration, émettant une courte expiration, il sait qu'il émet une courte expiration ou tirant une courte aspiration, il sait qu'il tire une courte aspiration. Il répète: «Conscient de tout mon corps, j'expirerai, conscient de tout mon corps, j'aspirerai, calmant les éléments de mon corps, j'expirerai, calmant les éléments de mon corps j'aspirerai...»

Ainsi, il s'applique à réfléchir sur le corps 1) intérieurement, 2) extérieurement, 3) intérieurement et extérieurement, réfléchissant qu'il est soumis à la création, soumis à la dissolution, soumis à la création, et à la dissolution. Son attention se fixe sur la pensée que le corps existe, suffisamment pour le savoir et s'en souvenir. Il demeure indépendant et ne s'agrippe à rien de ce qui est dans le monde.

Ou bien encore quand le disciple marche, il comprend: «Je marche» ou quand il se tient debout: «Je suis debout» ou s'il s'assied: «Je suis assis» ou lorsqu'il se couche: «Je suis couché.» Qu'importe la position de son corps, il comprend qu'il est ainsi placé.

Ou bien encore le disciple est maître de soi lorsqu'il s'avance ou se retire, lorsqu'il regarde en avant ou autour de lui, en pliant ou tendant ses membres, en portant sa robe d'intérieur ou sa robe d'extérieur et son bol, en mangeant, buvant, mastiquant, goûtant, en obéissant aux besoins naturels, en marchant, s'arrêtant, s'asseyant, dormant, s'éveillant, parlant et gardant le silence... alors même le disciple s'applique à réfléchir sur son corps...

2. **Attention concentrée sur les sensations**
(*vedanânupassanâ*)

Et comment le disciple s'applique-t-il à réfléchir sur les sensations?

Éprouvant une sensation plaisante, il comprend qu'il ressent une sensation plaisante... sensation pénible... sensation neutre...

3. **Attention concentrée sur le mental** (*cittânupassanâ*)

Comment le disciple s'applique-t-il à réfléchir sur le mental? Sur ce point, le disciple, quand son mental est affecté par la passion, comprend qu'il est affecté par la passion, quand il est exempt de passion... quand il est affecté par la haine, ou non, affecté par l'erreur, ou non, quand il est calme ou agité, dans le monde des formes ou dans le monde des passions, dans le monde des formes ou au-delà des formes, concentré ou non concentré, libéré ou non libéré...

4. **Attention concentrée sur les idées** (*dhammânupassanâ*)

Et comment le disciple s'applique-t-il à réfléchir sur les idées? Sur ce point, le disciple s'applique à réfléchir sur les cinq empêchements... sur les cinq groupes de convoitises (*khandha*)... sur les six bases intérieures et extérieures de la cognition (*âyatana*)... sur les sept parties de l'illumination... (*Satipatthâna-sutta, Majjhima, 1,55*).

Plus récemment, il s'est créé un large mouvement, à l'intérieur du bouddhisme, qui fait de ces quatre attentions sa pratique centrale; c'est la pratique *vipassana*.

Ici encore, on voit le caractère hautement pratique, scientifique, expérimental du bouddhisme. On peut déceler dans ces quatre «attentions» des principes que les psychanalystes découvriront 25 siècles plus tard.

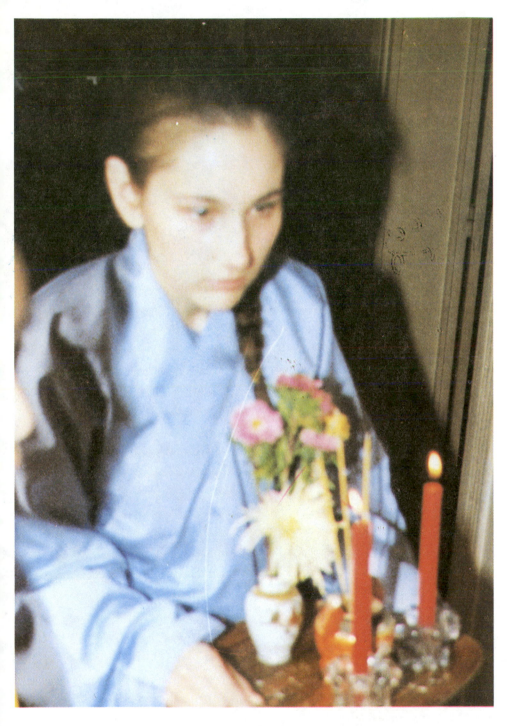

Jeune novice se préparant pour la «descente des cheveux».

La même novice après la «descente des cheveux», portant sur ses mains
la robe jaune.

**Entrée dans les ordres: Après la «descente des cheveux», les novices
sont invités à prononcer les voeux en présence de la congrégation et
des BIKKHUS (prêtres).**

III

LA RELIGION BOUDDHIQUE

En principe, comme le bouddhisme est, ce qu'on appelle, une religion d'illumination, il n'a pas d'intermédiaire entre la doctrine et le fidèle. Cependant, la loi de l'influence du milieu s'est imposée au bouddhisme comme aux autres religions. En principe, par conséquent, plusieurs monarques ont été protecteurs du bouddhisme, et plusieurs en ont fait leur religion d'État (Thaïlande, Laos, Cambodge). En Chine, au Vietnam... Par contre, si le bouddhisme a fortement influencé la pensée de certains empereurs, il n'a jamais été imposé au peuple. Mais, religion «libre» ou d'État, le bouddhisme n'a jamais été exclusif, et un prêtre bouddhiste fraterniserait avec ses équivalents de toute religion, sans aucune arrière-pensée.

En parlant du bouddhisme comme religion, on est ainsi amené à mentionner ses embranchements dus aux influences locales.

a. Les trois refuges

Le «baptême» bouddhiste consiste à «prendre les trois refuges». C'est un acte raisonné, un choix, et, partant, n'est jamais donné à un enfant dès sa naissance.

Lorsque quelqu'un veut devenir bouddhiste, il «prend les trois refuges».

> «Je prends le Bouddha pour refuge.
> Je prends le dhamma pour refuge.
> Je prends le sangha pour refuge.»

1. *Le Bouddha*, en principe, n'est pas un dieu. Il est simplement l'illuminé (étymologie du terme), celui qui a compris. Il est l'exemple vivant, la preuve vivante que sa voie mène à l'illumination. Bien entendu, dans l'esprit religieux et

surtout superstitieux des habitants des contrées où le bouddhisme fleurit, il est un être merveilleux, surnaturel et
acquiert l'auréole et les pouvoirs d'un dieu.

2. *Le dhamma* (forme pali du mot sanscrit dharma) est
la doctrine du Bouddha. Le mot dharma dérive de *drh* qui
signifie fixer (les idées, concevoir), le mot dharma veut donc
étymologiquement dire le résultat d'une construction mentale, un concept, une conception, une théorie, une doctrine
religieuse... Le dhamma est, pour le Bouddha, le témoignage
de son ascèse, de son expérience qui a abouti à l'illumination.
Il ne l'a jamais imposée à quiconque. Bien connue, en effet,
cette anecdote racontée dans le *Kalama Sutta* [11]:

À des habitants du village de Kalama qui viennent lui
demander:

«Seigneur, les brahmanes et autres maîtres de
sectes viennent nous visiter et prêchent leurs différentes
doctrines, disant chacun que ce qu'ils enseignent est la
seule vérité. Seigneur, nous sommes troublés et ne savons
pas ce qu'il nous faut accepter ou rejeter.»

Le conseil qu'il leur donna fut très humain et très
sage; il dit:

«Ne croyez rien simplement parce que vous l'en-
tendez répéter. Ne croyez rien parce que c'est une tradition ancienne et passée de générations en générations;
ne croyez pas les on-dit ou toute autre chose parce que
les gens en parlent beaucoup; ne croyez rien seulement
parce que le témoignage écrit d'un ancien sage vous est
montré à ce sujet; ne croyez rien parce qu'il y a quelque
présomption en faveur de cet argument ou parce qu'une
coutume établie depuis de longues années vous incline à
la tenir pour vraie; ne croyez rien sur la simple autorité de
votre maître ou des prêtres. *Tout ce qui, suivant votre
propre expérience et après un examen approfondi s'ac-
cordant avec votre raison, conduit à votre propre bon-
heur et à celui de tous les autres êtres vivants, cela
acceptez-le comme la vérité et vivez en conséquence.»*

Le Bouddha propose son dhamma comme guide et, pour lui, c'est en suivant le dhamma que l'on arrive à l'illumination.

«Il se pourrait, disciples, que, lorsque je ne serai plus, vous puissiez penser: La doctrine de notre maître n'est plus, nous n'avons plus de maître. Mais vous ne devrez pas penser ainsi, car la loi (dhamma) et la discipline (vinaya) que je vous ai enseignées seront votre maître après ma mort.»

«La loi sera votre lumière.
La loi sera votre refuge.
Ne cherchez point refuge ailleurs.» [11]

3. *Le sangha* est la communauté de ceux qui suivent le dhamma, autrement dit les moines. Dans le bouddhisme, il n'y a pas de prêtres dans le sens chrétien. Les membres du sangha sont ceux qui se sont résolument engagés à vivre conformément à l'exemple de Bouddha. (Cependant, plus tard, le véhicule du Sud a développé un système de prêtres.)

Les trois refuges sont répétés à des occasions régulières, et en particulier à la fête de Vaisak (pleine lune du mois de Waisak, qui correspond à avril, ou mai selon l'année du calendrier grégorien), jour commémoratif de la naissance, de l'illumination et du parinirvana (mort) du Bouddha.

b. Les cérémonies

Parlant de cérémonies, il faut faire une nette distinction entre le bouddhisme primitif et la religion bouddhiste actuelle. Il convient de se souvenir que le Bouddha avait un enseignement fondamentalement pratique, qui ne s'appuyait sur aucune croyance, aucune autorité, aucun dogme, par conséquent aucune cérémonie. Aux laïcs, il conseillait de perpétuer les cérémonies d'inspiration hindoue, en les comprenant. Aux moines, il donnait surtout une discipline de vie et un entraînement d'ordre psychologique (voir les «quatre attentions»). Les deux seules «cérémonies» qui aient jamais existé dans le bouddhisme primitif sont, *primo* la confession, *secundo* l'invitation. Dans le *sangha*, c'est-à-dire entre moines, la confession est publique. (Il n'y a en tous cas pas de confession personnelle entre un fidèle et un prêtre, comme dans l'Église catholique.) Lorsqu'il s'agit de laïcs, lors de la «confession du soir», les fidèles récitent des prières, en pensant silencieusement à leurs fautes, prenant le Bouddha à témoin, et finalement en prenant la résolution (silencieuse) de s'amender. La deuxième cérémonie, aussi en *sangha*, c'est-à-dire, à nouveau, en cercle fermé de moines, est «l'invitation». En pratique, elle ressemble beaucoup à une autocritique: un moine invite ses frères à lui révéler ses mauvais agissements. Il n'y a pas d'équivalent de ceci pour les laïcs.

Dans la religion actuelle, que ce soit dans le hinayana ou le mahayana (voir D), il y a les prières du 1er jour et du 15e jour de chaque mois lunaire. Il n'y a pas de forme cérémonielle stricte, mais c'est toujours une longue récitation d'une suite de suttas (livres). Comme le latin l'avait été pour l'Église, de même le pali est considéré comme la langue sacrée dans le bouddhisme, et il est touchant de voir des Chinois ou Vietnamiens mémoriser — sans comprendre — des syllabes innombrables qui se succèdent par milliers et qui sont les transcriptions phonétiques en chinois ou en vietnamien (donc déformées) des mots pali. Comme le veut la tradition pratiquée dans tout l'Orient, les récitations sont rythmées par des instruments creux en bois, des cymbales et des tambours. Les cérémonies bouddhistes, sauf la confession du soi, sont hautes en couleurs et en sons!

Dans les pagodes (temples), la journée religieuse comprend quatre services principaux:

6 heures	— les matines;
12 heures (midi)	— service avant le (seul) repas de midi;
16 heures	— service du soir;
19 heures	— méditation (suivie par la confession, étymologiquement: la récollection du soir).

Une statue de Bouddha en position de méditation profonde.

À ces services s'ajoutent occasionnellement:

— la prière pour les morts;
— la «prise des trois refuges» (équivalent au baptême);
— la réception des règles monastiques (pour les pratiquants engagés);
— la prière pour les «multitudes d'âmes» (le monde
entier).

Trois autres fêtes complètent le tableau de la pratique religieuse: la *pravâranâ*, le *vaisak* et l'*asala*. La *pravâranâ* est la fête de la fin de la saison des pluies. Cette fête date de la vie du Bouddha et a son origine dans le climat de l'Inde, qui ne connaît que deux saisons, la saison sèche et la saison des pluies. Celle-ci est annoncée par la venue des moussons, pluies diluviennes qui inondent tout, champs et chemins; pendant la saison des pluies, la fréquence et l'arrivée soudaine de celles-ci empêchent tout déplacement, donc toute activité missionnaire. Le *sangha* alors se cantonne dans un lieu, où le gîte était, dans l'ancien temps, fourni par la générosité d'un prince. Et le temps se passait en lecture, méditation, discussion, confession et invitation (voir plus haut). La fin de la saison des pluies arrivait donc comme une délivrance et la communauté célébrait une grande fête, à la fois en l'honneur et la mémoire de Bouddha et comme cérémonie d'adieu, après quoi les moines essaimaient aux quatre vents.

La cérémonie de la pleine lune du mois de *vaisak* (avril — mai) célèbre la naissance, l'illumination et le *parinirvana* (l'entrée dans le nirvâna = la mort) du Bouddha.

Enfin la fête d'*asala* célèbre la bénédiction annuelle du Bouddha qui, ayant renoncé au nirvâna complet, demeure au seuil de ce nirvâna et, dit-on, revient chaque année recevoir la dévotion des humains qu'il transmute et redonne au monde sous forme de bénédiction. La légende dit que ce «retour» annuel a lieu dans une vallée du Tibet, mais vaines, en général, sont les recherches de ceux qui espèrent la trouver!

Quant aux événements de la vie séculière, ils n'intéressent pas le bouddhisme primitif: il n'y a ni baptême, ni mariage, ni service funèbre. Cependant la religion phénoménologique s'est teintée d'autres contenus et traditions et, selon le pays, on voit se pratiquer des baptêmes, des mariages et des services funèbres «bouddhistes»: tous ces services sont tout sauf vraiment bouddhistes.

c. **Les ordinations** [3]

Il y a deux degrés d'ordination. La première ordination est appelée *pabbajja* et est «la sortie de la vie temporelle». Le novice, qui doit avoir au moins seize ans, prend alors «les trois refuges» — les mêmes que récitent les laïcs et s'engage à observer scrupuleusement les dix préceptes du *sangha*, les cinq préceptes déjà cités — qui constituent la base éthique pour tous les bouddhistes — plus cinq autres: s'abstenir de manger aux heures défendues (un seul repas par jour, à midi); s'abstenir de danses, de chants et de tous spectacles; s'abstenir d'orner et d'embellir sa personne au moyen de guirlandes, de parfums ou d'onguents; s'abstenir de faire usage d'un lit ou d'un siège élevé ou spacieux (pas de lit kingsize!); s'abstenir de recevoir de l'or et de l'argent.

Parmi les actes de renoncement à la vie du monde, une cérémonie est particulièrement significative. Elle est éprouvante, spécialement pour les femmes: c'est la «descente des cheveux», plus prosaïquement le rasage de la tête. Les cheveux sont considérés dans les textes bouddhistes comme l'un des attributs les plus dangereux pour une personne qui veut se consacrer à la vie intérieure: chez les hommes (du temps de Bouddha, les hommes qui se laissaient pousser les cheveux sont un signe de haut rang; maintenant, toutes sortes de coiffures), c'est un soutien à la vanité; chez les femmes, c'est un «filet de séduction». Ainsi, avoir la tête rasée coupe court à tout désir «mondain».

Puis, après une période d'instruction plus ou moins longue, mais jamais avant l'âge de vingt ans, le novice peut solliciter la deuxième ordination, l'*upasampada* — l'entrée dans l'ordre. Il reçoit alors les trois robes (voir note correspondante) et le bol à aumônes. Il est alors bhikhu ou moine.

Malgré sa prévention très forte à l'égard des femmes, sur l'insistance de sa femme Yasodhara, qui a «pris les trois refuges» au retour du Bouddha dans sa ville natale, et surtout de sa tante qui l'a élevée à la place de sa mère, décédée peu après sa naissance, le Bouddha a consenti à créer un ordre féminin. Les moines féminins sont soumis aux mêmes règles que leurs équivalents masculins.

Dans la pagode du Véhicule du Nord, les moines-hommes habitent un côté de l'édifice, les moines-femmes l'autre côté. Pendant les cérémonies, les moines-hommes occupent les premiers rangs. Après une séparation, viennent les moines-femmes. Enfin, après une autre séparation, les pratiquants laïques. Les moines-femmes ne sont jamais les chefs de communauté ou officiants.

d. Les deux Véhicules [3]

Comme dans toute religion, il y eut, à un certain moment, un schisme entre les fidèles. Ce fut au 1er siècle après J.-C. (six siècles après Bouddha) que cela se produisit.

Un certain nombre de membres du sangha voulurent rester fidèles aux Écritures primitives qu'ils essayent, encore aujourd'hui, de suivre à la lettre. C'est le groupe des Anciens, Théravadins, qui a son centre au Shri Lanka (anciennement Ceylan) et qui couvre présentement la Thaïlande, la Birmanie, le Laos, le Cambodge et l'Indonésie.

Les moines de l'Inde du Nord et du Tibet furent d'un esprit beaucoup plus «libre» et défendirent le droit à l'interprétation des textes. Ceci a donné un grand essor, du point de vue philosophique, au Véhicule du Nord — comme on les appelle par opposition aux Théravadins qui représentent le Véhicule du Sud. Ce Véhicule du Nord s'est surtout étendu vers le Nord et l'Est, et couvre le Tibet, le Népal, la Chine, le Japon et le Vietnam. Les représentants de cette branche l'appellent le Grand Véhicule; à part la diversité des ethnies qu'il couvre, il compte aussi un grand nombre et une grande variété de sectes, plus de 300.

À l'intérieur du Grand Véhicule, le Tibet s'est mis à part, a pris le bouddhisme comme religion d'État, et celui-ci est amalgamé avec des éléments pré-bouddhiques et autochtones pour donner le bouddhisme tantrique, dans lequel les pratiques magiques jouent un grand rôle. Les membres de cette branche l'appellent le Véhicule de Diamant (vajnayana).

1. Le Véhicule du Sud

Avant d'entrer dans le nirvâna, Bouddha avait recommandé à ses disciples de s'en tenir à la doctrine qu'il leur avait enseignée. Aussi, dès sa mort, un concile de 500 moines se réunit dans une grotte près de Râjagriha pour fixer les règles du maître disparu concernant la doctrine et la vie monastique. Selon la tradition, on aurait procédé à une première rédaction du canon. Ananda, disciple préféré de Bouddha, aurait rédigé les sermons du maître; Upalî aurait fixé la discipline monastique; Kâcyapa se serait chargé de l'exposé de la doctrine.

Cent ans après, un second concile eut lieu à Vaicâli. Son objectif principal était de dénoncer l'hérésie des mahâsânghikas (membres de la grande communauté), précurseurs du Véhicule Mahâyaniste. Les orthodoxes, les «Vieux» (sthaviras) devront d'ailleurs réunir un troisième concile, vers l'an 243 avant J.-C., à Pâtaliputra, la nouvelle capitale de l'empereur bouddhiste Acoka, et ce fut là que fut établi le texte définitif du canon bouddhiste, le tri-pitaka (voir conclusion).

La figure la plus remarquable du hînayanâ est sans doute Buddhaghosa, un brahmane qui s'est converti au bouddhisme, et qui a composé le **Visuddhimagga (le Chemin de pureté)**, vaste encyclopédie du dogme bouddhique. Il est considéré comme le principal Père de l'Église.

En effet, le Petit Véhicule, s'il est resté fidèle à la lettre de la doctrine, s'est écarté de l'esprit de liberté qu'a toujours témoigné le Bouddha, et a donné à son *sangha* (communauté de moines) une structure d'Église avec une hiérarchie stricte et des règles d'ordination de prêtres très définies. La vie dans chaque temple — appelé générale-ment pagode — est régie de façon réglementaire et autori-taire par un *théra* ou *mahathéra* (équivalents d'évêque et d'archevêque).

Les moines de ce Véhicule perpétuent la coutume consistant à mendier leur nourriture — c'est un spectacle très coloré et touchant que de voir ces silhouettes vêtues de jaune d'or, avec la tête rasée et les pieds nus, aller de porte en porte, présentant un bol de cuivre dans lequel les maîtresses de maison versent — pêle-mêle — les plats qu'elles ont préparés avec dévotion pour les prêtres men-diants. Ceci fait partie de ce qu'en jargon de croyant bouddhiste, on appelle le «karma», la bonne oeuvre. De par ce fait qu'ils mendient leur nourriture et que, par esprit d'abnégation, ils consomment, sans choisir, tout ce qu'on leur offre, les moines du Véhicule du Sud ne sont pas végétariens. Ceci est une entorse au premier des **cinq préceptes**, mais dénote l'attitude d'«absence du soi» (anatta).

Dans les contrées où le Véhicule du Sud fleurit, les moines vivant dans les pagodes apportent une contribu-tion inestimable à la communauté sociale: comme c'est le lieu où l'on étudie les textes religieux, c'est aussi le lieu où l'on étudie tout court; ainsi les pagodes sont toujours des centres d'instruction et d'éducation culturelle pour le peuple. Il s'est d'ailleurs développé dans ces contrées un système de «prêtrise contractuelle» dans lequel un homme, de tout âge, s'engage dans la vie monastique pour une période déterminée, souvent de deux ans, puis retourne à la vie profane. Si du point de vue religieux cela semble curieux, c'est un élément très important dans la stabilité de la société: pendant ces deux ans, l'homme a appris à lire... à s'instruire (profanement d'abord) plus que le pay-san voisin, à étudier les textes religieux, à mener une vie disciplinée, ce qui fait qu'une fois rentré dans la vie cou-rante, il constitue un guide pour son entourage, en connaissance et en moralité. Ceci est une symbiose remarquable entre la religion et la société, réalisée par le hinayana.

2. Le Véhicule du Nord

a. Les envolées métaphysiques

Le Véhicule du Nord, bien que très diversifié, ne s'est jamais écarté de la doctrine originelle du Bouddha. Cependant, l'attitude centrale des tenants du mahayana est la liberté non seulement dans l'interprétation, mais aussi dans le fait de «parfaire» l'enseignant, dans le sens qu'on peut pousser jusqu'au bout certaines idées de base. Par exemple, de la notion d'«absence de soi» (anatta) enseignée par le Bouddha, Nâgârjuna — un des maîtres les plus remarquables du Grand Véhicule, en poussant le caractère d'impermanence des choses jusqu'à la limite extrême, en est arrivé à la doctrine que tout est «vide» (sunyata): (en appliquant le principe d'impermanence et d'absence du soi jusqu'à l'extrême, on peut conclure qu') il n'y a ni naissance, ni mort, ni unité, ni pluralité. Cependant, il a gardé du Bouddha l'esprit pragmatique, et loin du nihilisme négatif, il prêche une «doctrine moyenne» (mâdhyamika): ce n'est pas en laissant son esprit s'échapper dans le néant qu'on atteint le vide, mais c'est par des actes «justes» de tous les jours, où les règles religieuses nous guident, qu'on parvient graduellement à la connaissance du vide, qui est le nirvâna. Nâgârjuna est l'auteur du *Traité de la Grande Vertu de Sagesse* (*mahaprajna-paramita-sastra*) [12], qui est le plus important livre du mahayana. Un autre traité fondamental est «Le Lotus de la Bonne Loi» (*saddharma-pundarika-sutta*) [8].

Ces investigations métaphysiques ont inévitablement abouti à la construction de «tours d'ivoire», à l'avènement d'une certaine aristocratie intellectuelle. (Cette accusation n'est cependant pas tout à fait exacte, car aucune secte n'a perdu le sens pragmatique propre au bouddhisme.) Et petit à petit, d'un enseignement que le Bouddha voulait unique, convenant à tous les niveaux de compréhension, s'est développé, dans le mahayana, une tendance vers un ésotérisme (6), accessible aux seuls esprits avancés, et, par voie de conséquence, vers une dualité entre cet ésotérisme et l'aspect exotérique, compréhensible au «commun des mortels».

(Si donc, le Petit Véhicule a dévié par l'organisation d'une hiérarchie stricte, le Grand Véhicule s'est aussi écarté de l'esprit de l'enseignement primitif, unique, du Bouddha.)

b. **Introduction d'une cosmogonie**

Mais il y a plus. Chaque «docteur» du mahayana interprète la doctrine selon son éducation, dans laquelle entrent des éléments de diverses natures: coutumes indigènes, croyances locales, éléments d'autres traditions. Lorsque le bouddhisme est arrivé en Chine, le taoïsme y était déjà florissant: il influença beaucoup la pensée bouddhique. Au Tibet, le tantrisme a donné une forte teinte à la nouvelle religion bouddhique. Ainsi le mahayana a glissé graduellement vers l'élaboration de tout un système, non seulement métaphysique, mais cosmogonique et théogonique (on pourrait dire bouddhogonique, car toutes les divinités ont titre de Bouddha). De la doctrine athée, telle qu'enseignée par le Bouddha, le mahayana fait une religion avec un large panthéon de divinités cosmiques et humaines. Le Bouddha Gautama n'est plus le personnage principal, mais est devenu le 28e membre d'une longue lignée («Tel est l'enseignement des Bouddhas»), dont le premier représentant n'est pas humain: C'est l'Adibouddha, le Bouddha primordial, une incarnation cosmique de la bouddhéité, qui «existe par lui-même et dont émane le monde». (C'est une transcription «bouddhique» de la notion de Sat(8) — aspect primordial, pré-actif — , de Dieu dans l'hindouisme, teintée d'éléments cosmogoniques du taoïsme.)

Pagode Linh-Son à Juinville-le-pont, S. & M., France.

c. **La figure centrale du mahayana: le bodhisattva**

Cette lignée des 28 Bouddhas n'est d'ailleurs qu'un petit échantillon d'un millier d'autres Bouddhas (équivalents des dieux grecs et hindous). Mais il y a plus. Le mahayana met l'accent sur la notion de bodhisattva. Primitivement, dans la bouche du Bouddha, le mot bodhisattva signifiait simplement «celui qui a la nature de Bouddha», et ce n'est autre que chaque être humain ordinaire. Dans le mahayana, on a réservé ce titre à des êtres humains déjà avancés — ou cosmiques d'un rang équivalent — ce sont des «presque-bouddhas». Et il s'y est développé une sorte de dualité entre les Bouddhas — qui sont considérés comme «méditatifs», non apparemment actifs, et les bodhisattvas qui doivent (encore) oeuvrer activement pour mériter d'atteindre un jour le rang de Bouddha. De là, il n'y a qu'un pas à faire pour faire des bodhisattvas, des «émanations actives» des Bouddhas; ceci est surtout vrai pour les divinités cosmiques. L'exemple le plus éclatant est la divinité connue sous le nom d'Avalokiteshvara dans les sphères indiennes et tibétaines, et qui est considérée comme l'envoyée du Bouddha Amitabha (Bouddha de la lumière infinie), et qui est peut-être plus connue sous son nom chinois de Kouan-Yin (étymologiquement «La Voix Lumineuse») qu'on peut considérer comme l'équivalent de la Vierge, en tant que Mère Divine du monde, dans le panthéon chrétien; l'un des titres attribués à Kouan-Yin est d'ailleurs «La Mère de tous les hommes». À part ses fonctions cosmiques (symbolisées par son écharpe), Kouan-Yin est, pour les humains, la Consolatrice et la Dispensatrice d'aide en cas de péril. Remarquons que Kouan-Yin est une déesse, un bodhisattva féminin, quelque chose d'inimaginable dans l'esprit du bouddhisme primitif. C'est la transposition chinoise de Tara la Blanche des Hindous.

d. **Les sectes du mahayana**

Comme on l'a dit, le mahayana connaît aussi un grand nombre de sectes, dont les plus importantes sont 1) l'école vaibhâchika qui prend les Écritures à la lettre; 2) l'école sautrantika, qui s'attache aux suttas; 3) l'école madhyanika, de la «voie moyenne» et 4) l'école yôgachâra, contemplative. Une école s'est largement répandue surtout au Tibet, en Mongolie et en Chine, c'est celle de dzyan (dhyana en sanscrit) dont le sixième patriarche, Hui-Nêng, est le plus remarquable. En effet, si les enseignements des patriarches précédents étaient classiques et formels, Hui-Nêng a fait table rase de toute forme, et a prôné la doctrine du vide (sunyata). Célèbre est cette anecdote, où le 5e patriarche, sentant le moment venu de transmettre ses pouvoirs à un successeur, appela ses disciples à un concours de poèmes philosophiques. Chen-Hsiou, le disciple considéré par tous comme le plus avancé, rédigea le poème suivant:

> *Ce corps est l'arbre de la bodhi.*
> *L'âme est comme un miroir brillant.*
> *Veille à la tenir toujours propre*
> *Sans laisser la poussière s'amasser sur elle.*

Tous le lurent avec admiration. Quelle ne fut pas leur consternation à tous, en trouvant le lendemain, affiché à côté de ce poème, un autre, signé de Hui-Nêng, un jeune novice préposé au pilage du riz, qui s'énonçait comme suit:

> *La bodhi n'est pas un arbre.*
> *Le miroir brillant ne luit nulle part.*
> *Comme, depuis le début, il n'y a rien,*
> *Où la poussière peut-elle s'amasser?*

Le lendemain, il disparut de la communauté, avec en mains les insignes que lui avait remis, en cachette, le 5e patriarche: il devint ainsi le 6e patriarche. [15]

C'est de Hui-Nêng que se réclament les tenants de la secte japonaise zen (une déformation selon la sémantique japonaise de dhyana ou dzyan) et si les formes extérieures sont strictes dans cette secte, l'esprit y est libre. Le zen a introduit une nouvelle notion: le satori (équivalent du samadhi hindou). Mais à la différence du samadhi qui se conquiert par une longue ascèse, le satori peut surgir subitement, apparemment sans préparation. La base de la notion de satori est que l'illumination n'est pas le résultat d'un raisonnement intellectuel logique, mais survient lorsqu'ayant suivi tout un raisonnement de la façon la plus serrée possible on arrive à un moment où l'on est à court d'arguments connus, où l'on hésite, où l'on est dans un état non coordonné: alors apparaît un éclair, le satori. Le zen fait une différence entre les petits satoris, qui sont justement ces furtifs éclairs d'intuition, et le grand satori, la véritable illumination.

D'ailleurs les Japonais ont adapté le zen au monde moderne, et ont développé, hors du Japon, surtout en Californie, une nouvelle religion d'inspiration bouddhiste, mais qui s'adresse aux hommes d'affaires... C'est une association certes curieuse, mais elle est rendue possible grâce au génie japonais (voir «The Teaching of Buddha»). [16]

e. **Le bouddhisme tibétain** [3]

Si d'aucuns n'hésitent pas à faire du bouddhisme tibétain un troisième Véhicule, appelé «Véhicule de Diamant» (Vajnayana) ou «Véhicule tantrique» (Tantrayana), il est plus adéquat de le considérer comme une branche du mahayana; ceci est d'ailleurs conforme à l'avis du 14e Dalaï-Lama (v. *Introduction au bouddhisme tibétain*). [9]

Ce fut sous le règne de Lha-Tho-Ri Nyen-Tsen, il y a plus de mille ans, que le bouddhisme fut introduit au Tibet. On y pratiquait alors la religion *bôn*, basée sur la méditation et des études et pratiques magiques. (N.B. Le mot «magique» n'a pas forcément une connotation mauvaise: c'est la connaissance et l'application de «forces» de natures autres que celles habituellement connues. Certaines applications de l'électricité et du magnétisme pourraient être considérées comme «magiques» si on n'en connaissait pas la cause.) Lorsque le bouddhisme prit racine au Tibet et s'y développa, le *bôn* en profita: sa philosophie et ses possibilités de méditation en furent enrichies. La religion tibétaine actuelle est le résultat de cette symbiose entre le bouddhisme et la religion *bôn*.

À la différence des autres branches du mahayana et à l'image de certaines contrées hinayanistes, le Tibet est devenu un pays théocratique: le Dalaï-Lama, qui est le prêtre suprême, est aussi le monarque du pays. Avant l'invasion récente des Chinois, le Dalaï-Lama vivait à Lhassa, dans le Potala, qui est en même temps palais royal et temple central.

Mais ce qui caractérise le bouddhisme tibétain, c'est que la «dynastie» des Dalaï-Lamas ne se perpétue pas par filiation physique puisque les lamas supérieurs vivent en état de chasteté, mais par «réincarnation spirituelle». Lorsqu'un Dalaï-Lama meurt, on se met à la recherche de sa «réincarnation». Les prêtres observent les enfants et si l'un d'entre eux se fait remarquer par ses réactions à des «signes», qui peuvent être des gestes, des écrits, des sons, — signes connus des seuls grands prêtres — alors il est déclaré le nouveau «corps périssable» du Dalaï-Lama. C'est ainsi que Tenzin Gyatsho a été reconnu comme la quatorzième incarnation du Dalaï-Lama originel. (On peut croire ou ne pas croire à la validité de ces signes de reconnaissance. Mais on ne peut s'empêcher d'être profondément impressionné par la profondeur des vues et des connaissances du présent Dalaï-Lama.) [10]

e. Les temples bouddhiques

Les temples bouddhiques sont généralement appelés pagodes.

L'architecture de l'édifice et l'organisation de la communauté du temple diffèrent dans les deux Véhicules.

Le hinayana s'organise comme une église. Le temple ainsi est colossal et rappelle, par sa grandeur, les églises voire même les cathédrales catholiques. C'est un édifice à base rectangulaire, plutôt long, avec des fondations très hautes, de sorte qu'on accède au temple lui-même par une série de marches, qui font le tour de l'édifice. Celui-ci est naturellement rectangulaire. Lorsqu'on y entre, on est frappé par l'absence complète de sièges: la partie du temple réservée aux fidèles est entièrement vide. Ce n'est qu'au fond du temple qu'il y a un grand autel, qui fait généralement toute la largeur du temple, et qui est «habité» par une multitude (dans certains temples: un millier) de Bouddhas, dont la figure centrale — la plus grande statue assise en méditation — est le Bouddha Gautama.

Dans le Véhicule du Sud, le temple ne sert qu'aux prières et n'est pas habité. La communauté habite une série de maisons recouvertes de feuilles de palmier, souvent sur pilotis (à cause des crues annuelles, et pour l'«élévation»). Le prêtre principal, le théra (équivalent du curé) ou mahathéra (équivalent de l'évêque) vit simplement, dans une petite chambre, dans une des maisons qui abrite d'autres moines. Dans sa maison, il y a une salle centrale où le théra donne son enseignement.

Les moines du Véhicule du Sud perpétuent la pratique de la mendicité. Donc, pas de cuisine, ni de servante (pas de problèmes!). Peu avant midi — car les vrais moines ne prennent qu'un repas, à l'heure de midi — tous, y compris le théra (sauf s'il est trop âgé pour marcher pieds nus, tête nue, sous le soleil de midi) vont de maison en maison dans le village pour mendier leur nourriture. Ils reviennent manger ensemble, en priant.

L'organisation est hiérarchique et l'échelle hiérarchique est stricte.

Dans les pays où fleurit le bouddhisme, l'enseignement religieux doit souvent commencer par l'enseignement tout court: il faut apprendre à lire aux novices, qui proviennent pour la plupart de familles de paysans incultes.

Un autre caractère du Véhicule du Sud est qu'il fonctionne comme une sorte de «service de la religion» (un peu comme le service militaire dans certains pays): on s'engage comme moine pour deux ou trois ans puis on revient à la vie profane. Bien sûr les vrais prêtres sont permanents.

Dans le Véhicule du Nord, on est beaucoup plus libre et individualiste. On s'engage librement, mais quand on «quitte le monde», c'est pour de bon. Et on vit dans la pagode. Celle-ci est donc une maison, une grande maison, avec une grande salle centrale, le sanctuaire, où se trouve l'autel avec en général le seul Bouddha Gautama, parfois flanqué du bodhisattva Maitreya et de la bodhisattva Kouan-Yin. La décoration est sobre, la salle est sombre, propice à la méditation. Ici aussi, on s'assoit par terre pendant les cérémonies.

À côté du sanctuaire lui-même, il y a une ou deux salles d'études, où se donnent les sermons et où se tiennent les discussions. Derrière, une série de petites chambres non fermées, où habitent les moines. Ceux-ci ne mendient pas. Leur nourriture est généralement fournie par les offrandes des dames pieuses qui apportent des plats — toujours végétariens (premier précepte) — au temple, comme «bonnes oeuvres». Les moines complètent leur nourriture avec des légumes et des fruits (le strict minimum) qu'ils cultivent eux-mêmes.

Il y a aussi des ordinations, mais elles ne se font pas de façon hiérarchique comme dans le Véhicule du Sud. Ici, lorsqu'un novice — autodidacte — désire «prendre la robe», le ou les prêtres «senior» de la pagode invitent les prêtres du même rang, des alentours et, ensemble, «ordonnent» le nouveau venu.

Dans les pays où le Véhicule du Nord est florissant, le bouddhisme n'est pas religion d'État, il est «hors du monde». Dans la plupart des pays du Véhicule du Sud, le bouddhisme est religion d'État, et il y a un chef suprême dans chaque pays, parfois c'est le roi, souvent un grand prêtre, un mahathéra. Dans le Véhicule du Nord, si certains prêtres ont une «autorité», c'est par mérite spirituel.

Du point de vue architectural, les temples du Véhicule du Sud ont un toit unique, à deux pans, très pointu vers le haut. Dans le Véhicule du Nord, les pagodes, humbles, ont un toit assez bas. Certains temples, en Chine et au Japon, ont un toit multiple, avec, selon la richesse du donateur, trois, cinq ou sept étages de toit, représentant les différents «cieux» de la mythologie bouddhique.

f. Iconographie bouddhique

a) Les statues

Lorsqu'on examine une statue de Bouddha, on voit, tout d'abord, que la tête présente toujours une excroissance en haut. C'est la représentation symbolique de l'état illuminé: selon les enseignements orientaux, il y a dans l'homme plusieurs «centres de force», appelés chakras (roues). Le centre qui correspond à la spiritualité se trouve au sommet de la tête, est appelé «le chakra coronal» (la couronne) et est dit être comme un «lotus aux mille pétales». Chez un être spirituel, ce chakra est très développé.

Ensuite, tout le corps est dans la position «assise» (v. Activités).

Les mains peuvent être horizontales, paumes vers le haut et le bout des doigts se touchant (pour qu'aucun courant d'énergie, «prâna», ne s'échappe); l'être est alors concentré en soi, c'est la position de stabilité, c'est la méditation contemplative.

Les mains peuvent être représentées dans différentes positions. La plus fréquente est la main gauche devant la jambe gauche, paume en bas, doigts pointés vers le bas: le Bouddha prend la terre à témoin. L'autre main, généralement, repose, paume en haut, sur l'autre genou; souvent avec l'index recourbé sur le pouce et les trois autres doigts droits: ce «mudra» (geste) est appelé le «sceau du secret». Le Bouddha est alors représenté en «méditation de compassion».

Parfois, la main droite est levée, paume au niveau de

l'épaule, face avant: c'est la position de bénédiction (toujours en méditation).

Sur toutes les statues, les lèvres esquissent un léger sourire de «compassion».

Les yeux ne sont jamais complètement fermés: en vraie méditation, les yeux sont mi-clos. C'est par un acte de volonté qu'on «se retire du monde», pas par l'acte physique de fermer les yeux.

Remarque: Les statues d'origine chinoise ont souvent un «bedon» confortable (symbole d'un être de haut rang), mais jamais protubérant. Ne pas confondre avec les statues du dieu de la Terre (mythologie chinoise, non bouddhiste), qui a la figure hilare et un ventre bien bedonnant.

Les statues de Bouddha sont rarement en position debout. Une statue debout est généralement celle d'un bodhisattva. De telles statues ont souvent des accessoires: des cheveux, une coiffe, un cordon autour du cou, avec ou sans pendentif, une robe ample, une écharpe (comme celle de Kouan-Yin)... Le bodhisattva, n'étant pas encore parfait, a encore des accessoires; le Bouddha est dénué de tout.

b) **Représentations graphiques**

i. Les *paradis*: Au Tibet, on trouve très souvent des peintures, multicolores, représentant un Bouddha (humain ou cosmique) entouré de son «paradis». Le paradis de quelqu'un est l'étendue de sa conscience: pour un être humain ordinaire, le paradis comprend sa famille, son travail, quelques «hobbies»..., pour un Bouddha, ce sont toutes les vertus qu'il a développées et tous les «cieux» (niveaux supérieurs de conscience).

ii. L'aspect *terrible*: Très souvent aussi, on voit des tableaux en deux parties: la partie supérieure, qui est la majeure partie du tableau, représente un Bouddha — ou un bodhisattva, un patriarche ou même un moine — dans son aspect «bon»; la partie inférieure représente le même personnage dans son aspect «terrible». Cet aspect est celui dans lequel le personnage entre en action contre les forces du mal; pour éloigner les mauvais esprits.

(Bien entendu, ceci est du bouddhisme teinté de tantrisme, magie...)

iii. *Mandala*: Au Tibet et en Chine, on trouve très souvent aussi des «mandala». Ce sont des dessins, généralement géométriques, de nature magique et symbolique.

Autel typique dans un temple du Mahayana (Véhicule du Nord).

BIKKHUS en prière.

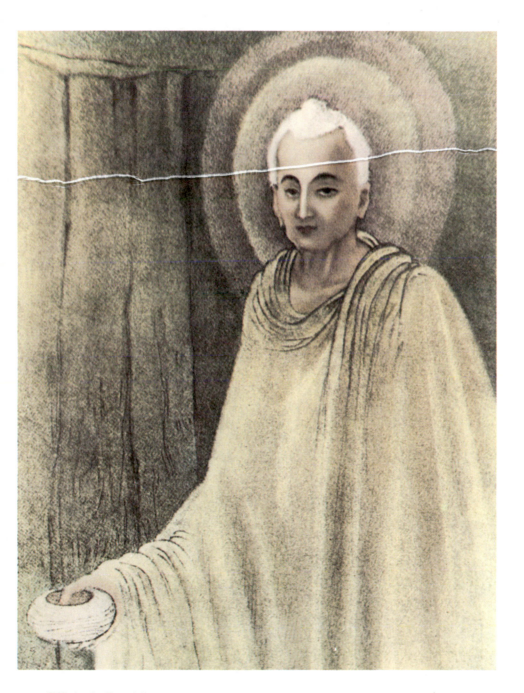

Effigie de Bouddha portant sa robe jaune et l'écuelle.

IV

CONCLUSION

Les caractéristiques du bouddhisme

En guise de conclusion de cette étude, il convient de rappeler ces quelques points:

1. Le bouddhisme est une religion «humaine», qui se base sur les problèmes humains et qui clame que l'être humain peut arriver à les résoudre: tous les humains sont des bodhisattvas, des Bouddhas en devenir.

2. Le bouddhisme est aussi une religion ouverte puisqu'il n'y a qu'une doctrine. Toutes les interprétations faites par les écoles du Véhicule du Nord restent des interprétations et aucune ne prime sur l'enseignement de base.

3. Les Écritures bouddhistes ont été collationnées lors du Concile de Rajagaha, où, démocratiquement, on a demandé à chacun qu'il se remémore une parole du Bouddha, de l'écrire sur une feuille de palmier et de déposer celle-ci dans une des trois corbeilles (ti-pitaka). Afin de bien montrer qu'aucun texte ne provient directement du Bouddha, toutes les Écritures commencent par la phrase: «Ainsi ai-je entendu».

4. Quelle que soit son école ou sa secte, tout bouddhiste reconnaît les enseignements de base du Bouddha (Les Quatre Nobles Vérités, la Voie Octuple, les cinq agrégats...), appelé dhammapada.

5. Tous les bouddhistes, moines ou laïcs, suivent l'exemple du Bouddha, et pratiquent, en particulier, la **compassion** (souffrir avec). La compassion consiste à comprendre la souffrance et les gens qui souffrent, à partager leur souffrance, à les aider dans la mesure du possible (attitude proche de la charité chrétienne). C'est la plus belle caractéristique des bouddhistes.

V

LES TROIS REFUGES
et
LES CINQ PRÉCEPTES
[4]

Namo Tassa Bhagavato Arahato Sammâ-sambuddhassa.
Namo Tassa Bhagavato Arahato Sammâ-sambuddhassa.
Namo Tassa Bhagavato Arahato Sammâ-sambuddhassa.

> Buddhan saranan gatchtchhâmi.
> Dhamman saranan gatchtchhâmi.
> Sanghan saranan gatchtchhâmi.

Dutiyampi Buddhan saranan gatchtchhâmi.
Dutiyampi Dhamman saranan gatchtchhâmi.
Dutiyampi Sanghan saranan gatchtchhâmi.

Tatiyampi Buddhan saranan gatchtchhâmi.
Tatiyampi Dhamman saranan gatchtchhâmi.
Tatiyampi Sanghan saranan gatchtchhâmi.

Pânâtipâtâ veramanî sikkhâpadan samâdiyâmi.
Adinnâdânâ veramanî sikkhâpadan samâdiyâmi.
Kâmesu mitchtchâtchârâ veramanî sikkhâpadan samâdiyâmi.
Musâvâdâ veramanî sikkhâpadan samâdiyâmi.
Surâ-meraya-madjdja-pamâda-tthânâ veramanî sikkhâpadan
samâdiyâmi.

LES TROIS REFUGES
et
LES CINQ PRÉCEPTES

Louange soit au Seigneur, le Très-Saint, Parfait en Sagesse.

Louange soit au Seigneur, le Très-Saint, Parfait en Sagesse.

Louange soit au Seigneur, le Très-Saint, Parfait en Sagesse.

> Je prends le Bouddha pour refuge.
>
> Je prends le dhamma pour refuge.
>
> Je prends le sangha pour refuge.

> Pour la seconde fois je prends le Bouddha pour refuge.
>
> Pour la seconde fois je prends le dhamma pour refuge.
>
> Pour la seconde fois je prends le sangha pour refuge.

> Pour la troisième fois je prends le Bouddha pour refuge.
>
> Pour la troisième fois je prends le dhamma pour refuge.
>
> Pour la troisième fois je prends le sangha pour refuge.

Je promets de m'abstenir d'enlever la vie à toute créature vivante.

Je promets de m'abstenir de prendre ce qui appartient à un autre.

Je promets de m'abstenir de toute indulgence coupable pour toutes passions corporelles.

Je promets de m'abstenir de tout mensonge.

Je promets de m'abstenir de toute boisson ou drogue qui dérègle la raison.

VI

BIBLIOGRAPHIE

Ouvrages de base:

1. Arnold Edwin   La Lumière de l'Asie. Adyar, Paris, 1980.

2. Avron Henri   Le Bouddhisme. P.U.F., Paris, 1951.

3. Conzé Edward   Le Bouddhisme, dans son essence et son développement. Petite Biblio. Payot, Paris, 1978.

4. Leadbeater, C.W.   Petit catéchisme bouddhique, 1936.

5. Nyanatiloka   La Parole du Bouddha. Adrien Maisonneuve, Paris, 1983.

Autres ouvrages à consulter:

6. Anonyme   The teaching of Buddha, Bukkyo Dendo Kyokai, Tokyo, 1976.

7. Carus Paul   L'Evangile du Bouddha, Aquarius, Genève, 1983.

8. Chédel André   Le Sûtra du Lotus de la Loi Merveilleuse, Dervy, Paris, 1975.

9. Dalaï-Lama (XIVe)   Introduction au Bouddhisme Tibétain, Dervy, Paris, 1971.

10. Dalaï-Lama (XIVe)   La Lumière du Dharma. Seghers, Paris, 1973.

11. Humphreys, Christmas   Vivre en Bouddhiste. Fayard, Paris, 1974.

12. Kasyapa Jagadish   Le Dhamma du Bouddha. Adyar, Paris, 1947.

13. Lamotte Étienne   Le Traité de la Grande Vertu de Sagesse de Nâgârjuna. Bureaux du Muséon, Louvain, 1944.

14. Lounsbery, G.C.   Méditation bouddhique. Adrien Maisonneuve, Paris, 1943.

15. Nyanatiloka   Vocabulaire bouddhique de termes et doctrines du Canon Pali. Adyar, Paris, 1961.

16. Suzuki, D.T.   Essai sur le Bouddhisme Zen. Adrien Maisonneuve, Paris, 1941.

17. Thomas, E.J.   Les écrits primitifs du Bouddhisme. Adyar, Paris, 1949.

VII

SUGGESTIONS D'ACTIVITÉS

SUJETS DE DISCUSSION

1. **Refaire les «découvertes» du Bouddha:**

    Observez une personne malade, aussi *objectivement* que possible. Essayez de *voir* pourquoi un malade *souffre*. Que fait-il quand il souffre? Que représente une maladie pour le corps?

2. **Faire des «anti-découvertes»:**

    Observez une personne bien portante. Cette personne est-elle «heureuse»? Que veut dire «heureux»? Son corps bien portant est-il «sans souffrance»? (Penser aux systèmes de régulation du corps, et au fait qu'un corps dit bien portant est celui qui «se défend» bien contre les microbes.)

    À la lumière de ces observations au point 1 et au point 2, réévaluez pour vous-même la Première Noble Vérité.

3. **Faire l'exercice de la «vue juste»:**

    Vérifiez point par point les observations ci-dessus: Sont-elles objectives? Ne sont-elles pas parfois, même légèrement, teintées d'un sentiment, d'une réaction émotionnelle, de souvenir, ou même physiologique, positive ou négative? Quand obtient-on une «vue juste»?

    Cet exercice peut se faire avec tout autre «germe de pensée» (sujet pris pour examen).

4. **Faire l'exercice des «quatre attentions»:**

Commencez par «l'attention concentrée sur le corps»: s'observer, prendre conscience de chaque mouvement, chaque geste (relire le passage correspondant à la page 29).

Faites cet exercice pendant un certain temps, et observez les résultats.

[Le maître peut mettre à profit de tels exercices, car ils sont excellents pour permettre aux étudiants de se prendre en main.]

Si vous voulez — et si vous le pouvez — essayez «l'attention concentrée sur le mental». Ceci est le premier pas de ce qu'on appelle la méditation. Patanjali, un grand maître du yoga, a écrit dans son *Traité sur le Yoga*: «Le yoga consiste en la suppression des modifications du mental». Or, pour supprimer quelque chose, il faut d'abord en être conscient. Qu'est-ce, en fait, que «prendre conscience» de quelque chose?

Les deux autres «attentions» concernent les sentiments et les idées. Cette dernière est particulièrement importante: l'examen objectif et détaillé des idées (concepts, théories, croyances, habitudes mentales, préjugés — raciaux par exemple...) conduit graduellement à la «vue juste», qui résulte en «pensée juste», «parole juste», «action juste» et le reste. Est-ce que l'affirmation qui vient d'être faite est correcte? Vérifiez.

5. **Réflexion sur le mot Bouddha:**

Ce mot a pour racine *budh*, qui signifie s'éveiller. À cause de son caractère exotique, on donne au mot *Bouddha* une connotation grandiose et lointaine: l'Illuminé, le Sauvé. Mais lorsque quelqu'un vous explique quelque chose et que vous dites «je vois», qu'avez-vous eu? N'est-ce pas une illumination? Quand vous avez peiné sur un problème de mathématique et que vous trouvez soudainement la solution, ne dites-vous pas «j'ai eu une lueur?» C'est cela *budh*, aussi simple que cela, aussi humain que cela. C'est cela que les bouddhistes zen appellent «petit satori». La plupart du temps, on ne tire que très peu profit de telles lueurs. En y faisant attention, en les intégrant en soi, on augmente petit à petit sa propre compréhension de la vie. Vérifiez ce qui vient d'être dit.

ACTIVITÉS

1. **La confession:**

La confession, dans le bouddhisme, consiste à comparer ses actes avec les préceptes (ne pas tuer, ne pas voler, ne pas mentir, ne pas obéir à ses penchants passionnels, ne pas prendre d'alcool ou de drogue). Pour les laïcs, elle se fait en silence. Êtes-vous disposé à essayer?

2. **Une journée d'immersion:**

Vivre toute une journée comme des moines dans une pagode.

a) Réciter les salutations, les trois refuges, les cinq préceptes, de préférence en pali (voir V).

b) Méditer ensemble:
   1) «s'asseoir», c'est-à-dire tout d'abord prendre une position assise confortable, par terre avec les jambes croisées («en Lotus»), ou sur une chaise avec les jambes pendantes, le dos droit (sans forcer), la tête droite légèrement penchée en avant. (Dans le zazen, il y a un moine qui surveille, avec un bâton en main. S'il voit quelqu'un avec le dos un peu voûté et la tête penchée en arrière, — ce qui indique qu'il se laisse aller — il lui donne une tape, plutôt forte, sur l'épaule pour le «réveiller».) Relâcher ses muscles, puis calmer les émotions et les pensées.

Pour méditer, il faut se relâcher, non se ramollir.

Méditer, ce n'est pas rêver ou s'endormir, c'est être éveillé.

2) Le meneur peut lire une phrase inspirante.

3) Tous y réfléchissent en silence.

4) Pour terminer, le meneur peut lire, par exemple:

> *Éviter de faire le mal,*
> *Faire le bien,*
> *Purifier le coeur,*
> *Tel est l'enseignement des Bouddhas.*

c) Manger ensemble, en silence, un repas frugal, végétarien.

d) Le restant de la journée, pratiquer la compassion et «les bonnes oeuvres»: aider ses camarades, soigner les animaux, rendre visite aux malades...

e) Le soir, chez soi, chacun fait sa «confession», en étant «assis» comme indiqué plus haut.

N.B. *À la session suivante, il serait bon que le maître demande à chacun ce que la journée d'immersion lui a apporté.*

3. **Inviter un bouddhiste**, moine ou laïc pratiquant, pour diriger cette journée, ou/et parler d'un sujet ou répondre à des questions.

4. **Visite d'une pagode**, avec une préparation préalable, soit par une étude avec des documents, soit en invitant un bouddhiste pour qu'il explique les choses à l'avance.

VIII

LEXIQUE

(1) SANSCRIT — PALI: Le *sanscrit* est la «langue sacrée» de l'Inde. Ce n'est pas une langue parlée, naturelle, mais avait été composée par des *pandits* (érudits) pour la rédaction des textes sacrés de l'hindouisme. Le *pali* est une langue du Nord de l'Inde, et peut être considérée comme une déformation du sanscrit. Les textes bouddhistes sont tous en *pali*, car ce fut la langue utilisée lors du concile où le ti-pitaka (les «trois corbeilles» contenant la doctrine — voir Conclusion) fut rédigé. Comme en Orient, les gens considèrent que la prononciation orale d'un texte sacré a son importance, et non seulement son sens. Tous les bouddhistes, quelle soit leur langue parlée, récitent les prières en *pali*.

(2) CASTE: Une caste est une catégorie sociale. En Inde (où le bouddhisme a pris naissance), les gens étaient divisés en quatre castes: les prêtres, les guerriers, les commerçants et les gens de la terre. Les prêtres (brahmanes) constituent la plus haute classe de la société et portent comme marque un point rouge entre les deux sourcils (la marque *tilka*); à leur «baptême», ils reçoivent autour du cou «le cordon sacré». Les guerriers (y compris gouvernants, tels que rois, etc.) sont les kshattrya et constituent la deuxième classe de la société; il peut y avoir intermariage entre ces deux castes, jamais avec les deux autres. Les commerçants et gens de la terre (sudra) sont considérés comme inférieurs et impurs; cependant, ils sont considérés comme des êtres pleinement humains. En Inde, il y a une autre catégorie, les sans-castes, les parias, qui, selon les Hindous, n'ont d'humain que l'ap-

parence, et que, par conséquent, les gens de caste ne «touchent» pas: ce sont les *intouchables*. Ce système était tellement ancré dans les moeurs indiennes que l'enseignement du Bouddha était considéré comme trop révolutionnaire, car il ne faisait pas cas des castes, par conséquent rejeté par les Hindous; c'est ce qui explique que le bouddhisme, né en Inde, en fut chassé entièrement.

(3) BODHI — Bô: Nom de l'arbre au pied duquel le Bouddha atteignit l'illumination. C'est une sorte de figuier. Ce nom lui fut certainement attribué à cause du Bouddha, car la *bodhi* est l'état illuminé. Bô est l'orthographe chinois du même nom.

(4) NIDANA: Afin d'aider les étudiants et professeurs qui voudraient approfondir les choses, voici les noms pali des «causes interdépendantes»: *avijjâ* (ignorance), *sankhara* (formations mentales), *vinnâna* (connaissance), *nama-rupa* (nom-forme = éléments du moi), *âtayana* (les 6 sens = les 5 sens plus la conscience), *phassa* (impression), *vedanâ* (sensation), *tanhâ* (désir), *upâdâna* (attachement), *bhava* (existence), *jâti* (naissance), *jarâ-marana* (afflictions de l'existence).

(5) VOIE OCTUPLE: Pour la même raison, voici les noms pali des 8 pas. Ce sont: *samyak drichti* (vue juste), *samyak kalpâna* (pensée juste), *samyak vatchana* (parole juste), *samyak karmânta* (action juste), *samyak adjîva* (moyens d'existence justes), *samyak vîrya* (effort juste), *samyak sati* (attention juste), *samyak samâdhi* (contemplation juste).

(6) EXOTÉRISME — ÉSOTÉRISME: Le premier signifie enseignement extérieur, le deuxième doctrine intérieure.

(7) SAT — CHIT — ANANDA: Ce sont les trois aspects de Dieu selon les Hindous. Ils correspondent plus ou moins à la trinité chrétienne. *Sat* signifie être, *chit* est l'aspect connaissance, et *ananda*, félicité.

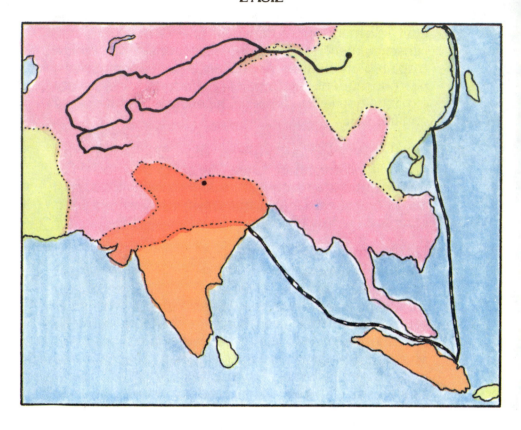

Itinéraire de Hiuan-tsang, un prêtre chinois, parti vers 622, vers l'ouest, pour aller en Inde chercher des écritures saintes bouddhistes. Il fut par la suite appelé du surnom de Tripitaka, du nom des Écritures. Son voyage périlleux et fabuleux a fourni le thème à une légende célèbre: Si-Yu-Ki, ou «Le Voyage d'Occident», dit aussi «Le Singe Pèlerin» à cause du personnage principal, le singe, le premier disciple de Tripitaka pendant le périple.

Itinéraire de Yi-tsing, un autre prêtre chinois, parti vers 671, par mer, pour arriver à la même destination, Bodh-Gayâ, l'endroit où le Bouddha donna son enseignement, et où il y a un monument célèbre en souvenir du Bouddha, et surtout Nâlandâ, où se trouvaient, à ce moment-là, les plus grands maîtres du bouddhisme. L'Université de Nâlandâ est toujours le haut lieu de l'enseignement du bouddhisme.

IMPLANTATION DU BOUDDHISME

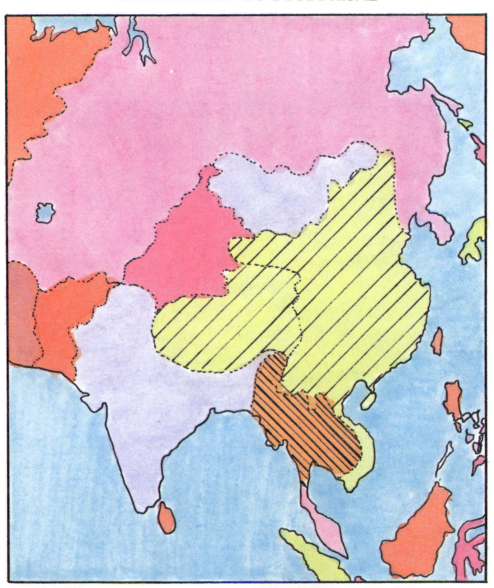

 Véhicule du nord
Tibet, Népal, Bhoutan,
Chine, Japon,
Viêt-nam

 Véhicule du Sud
Sri Lanka, Birmanie,
Thaïlande,
Laos, Kamputchia,
Indonésie